Y Lleidr Hud

gan

Catherine Fisher

Addasiad Meleri Wyn James
Darluniau gan Peter Clover

Argraffiad Cymraeg cyntaf 2012

ISBN 978-1-78112-143-6

Teitl gwreiddiol: *The Magic Thief*

Cyhoeddwyd gyntaf ym Mhrydain yn 2010 gan Barrington Stoke Ltd.,
18 Walker Street, Edinburgh, EH3 7LP.

Cyhoeddwyd yn Gymraeg ym Mhrydain yn 2012 gan Barrington Stoke Ltd.,
18 Walker Street, Edinburgh, EH3 7LP.

Noddwyd gan Lywodraeth Cymru.

Argraffwyd ym Mhrydain gan Bell a Bain Cyf, Glasgow.

Cynnwys

1 Y Pair Hud   1

2 Newid Siâp   9

3 Yr Wyneb Disglair   18

4 Y Wledd Fawreddog   26

5 Bys y Forwyn   35

6 Blerm, Blerm   43

7 Cân y Storm   52

8 Gwobr Elffin   60

Pennod 1
Y Pair Hud

Yng nghanol Cymru roedd yna lyn.

Llyn oer a llwyd.

Yng nghanol y llyn roedd yna gastell.

Yn y castell roedd y wrach, Ceridwen, yn byw.

Roedd Ceridwen yn hynod o bwerus. Roedd hyd yn oed y gwair yn plygu o'i blaen a'r tonnau'n cilio rhag ofn iddyn nhw wlychu ei thraed. Roedd hi'n byw gyda'i gŵr a'i mab, Morfran.

Un diwrnod, edrychodd ar ei mab a gweld ei fod yn hynod o salw.

"Edrych arnat ti!" meddai'n bigog. "Mae dy gefn yn grwm ac mae dy drwyn fel pig aderyn! Pa ferch yn y byd fydd am dy briodi di?"

Sychodd Morfran ei drwyn. "Wel, gwna rywbeth 'te, Mam," meddai. "Ti yw'r wrach. Gwna fi'n olygus."

Aeth Ceridwen i'w stafell hud ac estyn am ei llyfrau swyn. Croen draig oedd cloriau'r llyfrau ac roedd y swynion wedi eu hysgrifennu mewn inc arian. Roedd llygaid yn sbecian arni rhwng y llinellau. Roedd ystlumod yn hofran rhwng y tudalennau.

Fe chwiliodd am swyn i wneud ei mab yn olygus ond roedd yn gwybod na fyddai'r un ohonyn nhw'n gweithio. Ro'n nhw'n rhy wan.

Yna, yng nghefn y llyfr, mewn llawysgrifen gudd, roedd y swyn rhyfedda ohonyn nhw i gyd. Ni fyddai'n gwneud Morfran yn olygus ond gallai ei helpu i gael gwraig.

"Fe ddefnyddia i'r swyn hwn," meddai Ceridwen. "Bydd Morfran yn gallu canu cerddi bendigedig. Morfran fydd y bardd gorau yng Nghymru. Bydd yn gwybod y swynion hud i gyd. Morfran fydd y swynwr a'r dewin gorau. A bydd yn gallu newid ei siâp a'i droi ei hun yn unrhyw beth ac yn bopeth. Diolch i'r swyn hwn, Morfran fydd y bardd a'r dewin gorau yn y byd ac ni bydd neb arall yn gallu newid ei siâp cystal ag ef. Yna mae'n siŵr y bydd rhywun am ei briodi."

Felly, dechreuodd Ceridwen ar ei gwaith.

Estynnodd y wrach am ei phair, ei chrochan coginio mawr, efydd.

Llanwodd ef â dŵr oer o'r llyn.

Rhoddodd ynddo berlysiau hudol, geiriau cyfrinachol a goleuni seren.

Gwnaeth dân oddi tano.

Dechreuodd y pair gynhesu. Cyn hir roedd yn boeth a'r hylif yn ffrwtian. Camodd Ceridwen 'nôl a rhwbio ei dwylo a phlethu ei breichiau. "Nawr," meddai, "rhaid i rywun droi y swyn hwn. Rhaid iddyn nhw droi heb gael seibiant o gwbl, am flwyddyn a diwrnod. Pwy sy'n mynd i wneud hynny?"

"Nid y fi," meddai ei gŵr.

"Nid y fi," meddai Morfran ei mab.

Felly, aeth i chwilio am y gwas lleia, mwya pitw yn y castell a'i lusgo i'r gegin. "Bydd yn rhaid i ti wneud y gwaith troi," meddai, "a phaid â meiddio gorffwys!"

Bachgen o'r enw Gwion oedd y gwas hwn.

Cymerodd lwy fawr bren a dechrau troi.

Bu'n troi am ddiwrnodau a nosweithiau.

Bu'n troi am wythnosau a misoedd.

Bu'n troi ar ei eistedd, ar ei hyd ar lawr, ac ar ei bengliniau.

Bu'n troi ar ddi-hun ac yn ei gwsg.

Bu'n troi nes i 12 llwy hollti'n deilchion.

O'r diwedd, roedd blwyddyn a diwrnod wedi mynd heibio.

Daeth Ceridwen i eistedd ger y pair, a gwylio â'i llygaid barcud. Roedd hi'n gwybod y byddai'r hylif yn dechrau berwi pan fyddai'r swyn yn barod, ac y byddai tri diferyn poeth o hud yn tasgu ohono. Byddai holl bŵer y swyn yn y tri diferyn. Roedd hi'n barod i ddal y tri ar gyfer ei mab.

Ond wrth iddi wylio Gwion yn troi a throi dechreuodd flino.

A phendwmpian.

Cyn bo hir roedd hi'n cysgu.

Trodd Gwion y cymysgwch ag un sblash fawr arall. Yn sydyn, dechreuodd ferwi. Cyn iddo allu neidio o'r ffordd, tasgodd dri diferyn ar ei law. Ro'n nhw mor boeth nes iddyn nhw ei losgi. "Aw," meddai. Rhoddodd ei law yn ei geg a llyfu'r diferion.

Yr eiliad y gwnaeth hynny, teimlodd yr hud yn ei daro fel mellten.

Fel gwaedd fawr.

Fel cyllell finiog.

Gwelodd y dyfodol.

Gwelodd y gorffennol.

Gwelodd holl gyfrinachau'r byd.

Roedd yn fardd ac yn ddewin ac roedd yn gallu newid ei siâp.

Ac roedd yn gwybod, unwaith y byddai Ceridwen yn dihuno, y byddai'n gynddeiriog, achos roedd wedi dwyn yr hud roedd hi wedi ei wneud i'w mab.

Gollyngodd y llwy. Dringodd drwy'r ffenest. Rhwyfodd ar hyd y llyn.

A rhedodd.

Pennod 2
Newid Siâp

Y peth cyntaf a welodd Ceridwen ar ôl
dihuno oedd y llwy a honno ar y llawr. Agorodd
ei llygaid a sgrechiodd yn gynddeiriog.

Roedd Gwion wedi mynd. Roedd y tân wedi
diffodd. Roedd y crochan wedi peidio â berwi.

Roedd Ceridwen yn gwybod yn iawn beth
oedd wedi digwydd. Wrth iddi syllu, holltodd
y crochan a chwympo'n deilchion, a llifodd

gweddill y swyn da-i-ddim ar hyd y llawr ac i'r llyn.

Neidiodd Ceridwen ar ei thraed a rhedeg o'r castell. Llamodd dros y llyn ag un naid anferthol a rhedeg nerth ei thraed ar ôl y lleidr.

Rhedodd Gwion. Rhedodd dros fryn a dôl. Ond gwelodd Ceridwen yn dod y tu ôl iddo, fel cysgod cwmwl. Roedd e'n methu rhedeg yn ddigon cyflym. Roedd hi'n dod yn nes ac yn nes.

Meddyliodd, *rwy'n gallu newid fy siâp nawr. Mae'n rhaid i mi wneud rhywbeth!*

Trodd ei hun yn ysgyfarnog a rhuthro i ffwrdd.

Gwaeddodd Ceridwen, "Chei di ddim dianc fel hyn!"

Trodd Ceridwen ei hun yn filgi a rhuthro ar ei ôl.

Fe garlamodd y ddau ar hyd y llethrau a thrwy'r fforestydd. Cyn bo hir roedd dannedd Ceridwen yn clecian wrth ei sodlau, ond yr eiliad honno daeth Gwion at afon oedd yn llifo'n gyflym.

Neidiodd Gwion i'r dŵr. Newidiodd yn eog, gan nofio'n gryf ac yn gyflym.

Gwaeddodd Ceridwen, "Chei di ddim dianc fel hyn!"

Trodd Ceridwen ei hun yn ddyfrgi a llamu i'r dŵr ar ei ôl.

Nofiodd y ddau trwy'r tyfiant a'r tonnau. Cyn bo hir, roedd dannedd Ceridwen yn clecian wrth ei gynffon, ond yr eiliad honno daeth Gwion at raeadr.

Llamodd Gwion i'r awyr. Roedd yn wennol, yn hedfan yn chwim ac yn uchel.

Gwaeddodd Ceridwen, "Chei di ddim dianc fel hyn!"

Trodd ei hun yn hebog a hedfan ar ei ôl.

Saethodd y ddau drwy'r cymylau a thrwy stormydd. Roedd pig Ceridwen yn clecian wrth ei adain, a'r tro hwn roedd Gwion yn gwybod ei fod mewn trafferth. Roedd wedi colli ei wynt yn lân.

Beth alla i ei wneud nawr? meddyliodd.

Edrychodd oddi tano a gwelodd ei fod yn hedfan dros ffermdy. Roedd y ffermwr wedi bod yn rhidyllu'r grawn, ac roedd cannoedd o ronynnau bychain o ŷd ar hyd y buarth. Cafodd Gwion syniad. Disgynnodd a'i droi ei hun yn ronyn o ŷd. Yna gorweddodd yno, gan guddio ymhlith y cannoedd o ronynnau eraill.

Wnaiff hi byth ddod o hyd i mi fan yma, meddyliodd.

Disgynnodd Ceridwen a chlwydo ar y clawdd. Edrychodd ar fuarth y fferm â'i llygaid miniog. Roedd hi'n wyllt gacwn o hyd, a doedd hi ddim yn mynd i ildio nawr. Roedd hi am dalu'r pwyth. Roedd hi am ddial ar Gwion.

"Chei di ddim dianc fel hyn chwaith!" meddai'n bigog. "Nid ti yw'r unig un sy'n glyfar, Gwion y lleidr bach!"

Llamodd Ceridwen i ganol y grawn. Trodd ei hun yn iâr ddu.

A bwyta pob gronyn o ŷd ar fuarth y fferm.

Pob un ohonyn nhw.

Yna dychwelodd i'w chastell yng nghanol y llyn ac eistedd ar ei chadair.

"Ble mae Gwion bach?" gofynnodd Morfran.

"Yn farw gelain," meddai. "Dwi wedi ei fwyta fe."

Ond y noson honno, a'r lleuad yn disgleirio drwy'r ffenest, teimlodd Ceridwen symudiad bychan y tu mewn iddi. A dechreuodd ddyfalu a oedd Gwion wedi marw mewn gwirionedd. Wedi'r cwbwl, roedd e nawr yn fardd, ac yn ddewin, ac yn gallu newid ei siâp.

Bob mis, wrth i'r lleuad dyfu a lleihau, roedd Ceridwen yn gwybod fod Gwion yn dal yn fyw. Roedd e'n fyw y tu mewn iddi, yn faban newydd. Ac roedd yn gwybod y byddai'n cael ei eni ar ddiwedd y naw mis.

"Chei di ddim dianc fel hyn chwaith!" meddai'n bigog. "Fe wna i ddelio â ti unwaith ac am byth."

Ond pan anwyd y baban, a phan welodd Ceridwen ef, sylweddolodd nad oedd hi mor awyddus i'w ladd erbyn hyn. Roedd ei wyneb mor hardd ac mor ddisglair ac mor lân. Teimlai yn ddig wrthi ei hun.

"Wel, dwi'n benderfynol o gael dial," meddai.

Cymerodd god bach lledr a rhoddodd y baban ynddo. Yna aeth ag ef at yr afon, ei daflu i'r dŵr a'i wylio'n cael ei gario i ffwrdd.

"Hwyl fawr, Gwion y lleidr," meddai.

Yna fe aeth yn ôl i'w chastell yng nghanol y llyn ac eistedd ar ei chadair.

"Ble mae Gwion bach?" gofynnodd Morfran.

"Yn farw gelain," meddai. "Dwi wedi ei foddi fe."

Ond y noson honno, a'r lleuad yn disgleirio ar yr afon, roedd yna symudiad bychan yn y god lledr. Nofiodd y god yn araf deg ar wyneb y dŵr, heibio fforestydd a phentrefi, ac i gyfeiriad y môr.

Cyrhaeddodd gored, rhes o bolion pren wedi eu rhoi yn eu lle i ddal pysgod.

Ac yno yr arhosodd.

Pennod 3

Yr Wyneb Disglair

Brenin y wlad honno oedd y Brenin Gwyddno, ac roedd ei gastell gerllaw. Roedd gan Gwyddno fab o'r enw Elffin. Roedd pawb yn galw'r tywysog yn Elffin Anlwcus. Byddai popeth a wnâi yn mynd o chwith o hyd. Dywedodd Gwyddno wrth ei fab, "Mae'n hen bryd i ti gael tipyn o lwc. Cer draw at y gored. Pob blwyddyn, adeg Calan Mai, mae gwerth can punt o leia o eogiaid yn cael eu dal yn y gored. Eleni, fe gei di gadw beth bynnag y byddi di yn ei ddal. Efallai y bydd hynny'n newid dy fywyd."

Roedd Elffin yn hapus. Cusanodd ei wraig Anwen. "Pob lwc," meddai hithau. Esgynnodd ar ei geffyl a marchogaeth at y gored. Pan gyrhaeddodd roedd yr haul yn codi, ac roedd dŵr yr afon yn llawn bwrlwm.

Ond doedd yr un pysgodyn yn y gored.

Dim un hyd yn oed.

Edrychodd Elffin ar hyd yr afon. Yr unig beth a welodd oedd cod bach lledr yn codi ac yn gostwng ar y tonnau ger y polion pren.

"Rwyt ti'n hynod o anlwcus, Dywysog," meddai un o'r gweision. "Mae pysgod yn y gored bob amser. Ond eleni does dim byd ond yr hen god yma y mae rhywun wedi ei daflu i ffwrdd."

Daeth Elffin oddi ar ei geffyl. "Wel, man a man i mi edrych beth sydd ynddo. Efallai fod 'na rywbeth gwerth can punt ynddo."

Chwarddodd y gwas. "Paid â ffwdanu."

Ond tynnodd Elffin ei esgidiau a cherdded i'r afon. Roedd y dŵr yn oer ac yn llifo'n gryf. Pan gyrhaeddodd y god cydiodd ynddi a'i dal yn uchel wrth iddo gerdded yn ôl, yn wlyb sopen at ei ganol.

Agorodd y god.

Yno yn gwenu arno, roedd bachgen bach, a chanddo'r wyneb mwya prydferth a welodd neb erioed. Roedd yn wyneb hardd a doeth.

Syllodd y gwas. "Dyna dalcen disglair!"

"Dyna ni wedi dewis ei enw," meddai Elffin. "Ei enw fydd Taliesin, tâl- iesin, talcen hardd."

Dringodd ar ei geffyl a rhoi'r bachgen o'i flaen. Marchogodd yn ofalus iawn yn ôl i gastell ei dad. Ond roedd e'n ddigalon. Roedd yn gwybod y byddai ei dad yn ddig am nad oedd wedi dal yr un pysgodyn.

Ochneidiodd yn uchel.

Ar unwaith, er mawr syndod iddo, dechreuodd y baban siarad. "Paid â bod yn drist, Dywysog Elffin."

Syllodd Elffin. "Rwyt ti'n gallu siarad!"

"Gwell na hynny," meddai Taliesin. "Dwi'n fardd. A dyma fy nghân gynta."

A dyma fe'n dechrau canu fel hyn –

"Paid ag wylo, Dywysog Elffin.

Welodd neb yng nghored Gwyddno

Yr un trysor fel myfi.

Er mor fychan yw fy nghorff

O ran talent rwyf fel cawr.

O ddyfnder gwely'r afon

Fe ddaw lwc i ti yn siŵr.

Pan ddaw helynt am dy ben

Gwell nag eog fyddaf fi."

Doedd Elffin erioed wedi clywed cân mor hyfryd a chlyfar.

"Wyt ti'n ddynol?" gofynnodd Elffin. "Neu ai ysbryd o'r afon wyt ti?"

Chwarddodd Taliesin. "Beth ydw i?" Dechreuodd chwerthin eto.

"Roeddwn i yn lleidr hud.

Ces fy nghwrso gan y wrach.

Dianc wnes fel sgwarnog.

Cyn troi yn eog bach.

Hedfan fel gwennol.

Bûm yn hedyn yn siŵr.

Naw mis mewn tywyllwch,

Mewn cod ar y dŵr.

Yn farw y bûm,

Yn holliach yn sydyn.

Gwion bach oeddwn.

Bellach Taliesin."

Roedd Elffin ar bigau'r drain ac am gyrraedd adre. Rhedodd i'r castell, lle roedd ei wraig Anwen a'i dad y Brenin Gwyddno yn aros.

"Felly?" meddai'r brenin, "a gest ti helfa dda?"

"Dyma fy helfa!" Rhoddodd Elffin y baban ar y llawr o'i flaen.

"Dyw hwn yn dda i ddim" cwynodd Gwyddno.

"Dwi'n llawer mwy gwerthfawr a defnyddiol na physgodyn," meddai Taliesin yn dyner.

Syllodd Gwyddno. "Mae e'n gallu siarad! Ond dim ond baban yw e!"

Chwarddodd Elffin. "Taliesin yw e. A fe fydd ein bardd ni."

Cododd y baban a'i roi i'w wraig. Gwenodd Anwen pan welodd yr wyneb disglair.

"Gwell na hynny," meddai. "Fe gaiff fod fel mab i ni."

Pennod 4
Y Wledd Fawreddog

Tyfodd Taliesin yn fachgen doeth a deallus. Erbyn ei fod yn 13 oed gallai wneud hud yn well nag unrhyw ddewin arall a chanu'n well nag unrhyw fardd. Roedd Elffin ac Anwen yn ei garu'n fawr, a daeth Elffin yn ddyn cyfoethog. Doedd neb yn ei alw'n "Anlwcus" erbyn hyn.

Y flwyddyn honno fe wahoddodd y Brenin Maelgwn o Ogledd Cymru holl frenhinoedd Cymru i wledd fawr adeg y Nadolig. Roedd y Brenin Gwyddno yn edrych ymlaen at fynd.

Aeth â chant o weision gydag ef, a'i fab Elffin hefyd.

"Ond bydd yn ofalus," meddai wrth Elffin. "Paid â dweud dim byd dwl. Mae Maelgwn yn frenin pwerus iawn, ac mae ganddo dymer ofnadwy. Mae'n meddwl fod popeth sydd ganddo'n well na phethau pobl eraill. Ac mae'n casáu pawb sy'n meddwl eu bod yn well nag ef."

Ffarweliodd Elffin â'i wraig a Thaliesin. "Bydda i 'nôl gyda chi ar ôl y Nadolig," meddai. "Bydd popeth yn iawn."

Dringodd ar ei geffyl.

Roedd golwg ofidus ar Anwen. "Hoffwn i pe bai Taliesin yn mynd gyda ti."

Chwarddodd Elffin. "Paid â phoeni! Does dim byd drwg yn mynd i ddigwydd."

Ni ddywedodd Taliesin yr un gair, ond fe ddringodd i dŵr y castell a'u gwylio'n dechrau ar eu taith.

Roedd e'n gofidio hefyd.

****

Ym mhalas Maelgwn roedd y wledd yn
fwy ardderchog nag a welodd neb erioed.
Eisteddodd Maelgwn a'r Frenhines ar eu
gorsedd yn y neuadd fawr. Eisteddai miloedd o
frenhinoedd a marchogion a beirdd ac esgobion
o'u cwmpas. Roedd y bwyd yn ardderchog.
Roedd y ceffylau a'r cŵn yn ardderchog. Roedd
y gerddoriaeth yn ardderchog.

Bob awr fe godai un o blith 24 bardd
Maelgwn a chanu cân newydd yn datgan mor
ardderchog oedd y brenin.

I ddechrau roedd Elffin yn mwynhau. Ond
wrth i'r amser fynd yn ei flaen dechreuodd
ddiflasu.

Roedd pawb yn dweud yr un peth. "Oes gan
rywun well gwraig na Maelgwn?" gofynnen
nhw i'w gilydd. "Nac oes wir. Oes gan rywun

well ceffylau na Maelgwn. Nac oes wir. Oes gan rywun well beirdd na Maelgwn?"

"Oes, *fi*," meddai Elffin.

Tawelodd pawb yn sydyn a syllu arno.

"Bydd yn dawel!" sibrydodd ei dad.

Ond roedd Elffin yn ddig nawr. "Mae gen i well gwraig, gwell ceffyl, a gwell bardd nag unrhyw un o feirdd Maelgwn. Mae fy mardd i'n ddewin ac yn gallu newid ei siâp hefyd. Does neb yn well na Thaliesin."

Rhoddodd Gwyddno ei ben yn ei ddwylo. "Oedd raid i ti?" cwynodd.

Gwelodd Maelgwn nad oedd neb yn siarad ar un bwrdd. A phan glywodd fod y Tywysog Elffin wedi bod yn ymffrostio rhuodd yn ddig. "Dewch ag e yma!"

Llusgodd y milwyr Elffin at orsedd y brenin. Tawelodd pawb yn y neuadd. Peidiodd y gerddoriaeth. Safodd y gweision a'r morynion yn stond a'r bwyd ar eu hambyrddau. Trodd y cŵn eu pennau.

"Beth yw hyn dwi'n ei glywed?" rhuodd Maelgwn. "Wyt ti o ddifri yn ceisio dweud bod gen ti rywbeth sy'n well na'r hyn sy gen i?"

Roedd ofn ar Elffin, ond roedd e'n dal yn ddig. Meddai, "Mae fy ngwraig yn well na dy wraig di. Yn un peth dydy hi byth yn meddwi."

Daliodd pawb eu hanadl.

Rhoddodd y frenhines ei ffiol yfed ar y bwrdd.

"Mae fy ngheffyl yn well," aeth Elffin yn ei flaen. "Dydy e byth yn colli ras."

Daeth ebychiad uchel o bob bwrdd.

Dechreuodd y brenin golli ei dymer a chochi.

"Fy mardd i yw'r bardd gorau yn y byd," meddai Elffin. "Gallai guro'r criw yma yn hawdd."

Ebychodd pawb unwaith eto.

Udodd y 24 bardd.

Cododd y Brenin Maelgwn. "Wel, rwyt ti wedi ymffrostio, a nawr bydd yn rhaid i ti brofi dy fod yn iawn. Dwi'n mynd i brofi dy wraig, dy geffyl a dy fardd. Dy wraig i ddechrau. Fe anfona i negesydd i'w meddwi hi."

"Lwyddith e ddim. Wnaiff fy ngwraig i byth feddwi," meddai Elffin.

Chwarddodd Maelgwn. "Dyna beth rwyt ti'n ei feddwl. Wrth i ni aros am y newyddion fe awn ni ymlaen â'r wledd. Ond chei di ddim ymuno â ni. Fe gei di aros yn y carchar dyfna sydd gen i."

Cydiodd y milwyr yn Elffin. "Allwch chi ddim gwneud hyn!" arthiodd. "Dwi'n dywysog."

"Rwyt ti yn llygad dy le." Eisteddodd Maelgwn ac arllwys diod iddo'i hun. "Felly fe wna i'n siŵr dy fod yn cael cadwyn arian ardderchog."

Aethon nhw ag Elffin i lawr i'r gell fwya tywyll o dan y castell a chlymu ei draed a'i ddwylo â chadwyn arian.

Eisteddai yno ar y llawr a golau'r lleuad yn disgleirio drwy'r ffenest.

Oeddwn i dipyn bach yn fyrbwyll? meddyliodd.

Pennod 5
Bys y Forwyn

Roedd Taliesin yn gorwedd yn y cae ŷd pan glywodd farchog yn carlamu heibio.

Cododd yn gyflym a'i wylio.

Gwisgai'r dyn ddillad drud ac roedd ei geffyl yn un hardd. Roedd yn marchogaeth o gyfeiriad y gogledd. Ysgydwodd Taliesin ei ben. Bu'n disgwyl helynt a nawr roedd wedi cyrraedd.

Yn gyflym, trodd ei hun yn llwynog coch a rhuthro yn ôl i gastell Elffin er mwyn cyrraedd o flaen y negesydd. Daeth o hyd i Anwen yn y neuadd.

"Gwranda!" meddai.

Syllodd Anwen yn syn ar y llwynog. Sut y gallai llwynog siarad?

Trodd Taliesin ei hun yn fachgen unwaith eto. "Maddau imi. Gwranda, mae negesydd ar ei ffordd o'r llys. Paid â phoeni, ond dwi'n ofni fod Elffin wedi bod yn ymffrostio."

"Ymffrostio am beth?" gofynnodd Anwen.

"Ti. A fi." Cerddodd 'nôl ac ymlaen gan feddwl. "Dwi'n gwybod beth i'w wneud. Chwilia am un o'r morynion ac fe gaiff y ddwy ohonoch chi newid lle. Gwisga hi yn dy ddillad gorau a rho lwyth o berlau a modrwyau iddi. Mae'n rhaid iddi gymryd dy le di am noson."

Roedd y Dywysoges Anwen yn ymddiried yn Taliesin. Felly ni ofynnodd ragor o gwestiynau. Dewisodd forwyn ac fe newidiodd y ddwy eu dillad. Gwisgodd y dywysoges ffrog blaen a mynd i guddio yn y gegin. Trefnodd Taliesin bryd o fwyd.

Pan gyrhaeddodd y negesydd, aeth Taliesin i'w gyfarfod.

Nawr roedd y negesydd yn ddyn cas a chyfrwys. Ei enw oedd Rhun a doedd neb yn ei hoffi. Cafodd ei arwain i stafell y dywysoges. Safodd y forwyn ar ei thraed, ac fe wnaeth hud Taliesin iddi edrych fel y dywysoges. Roedd Rhun yn siŵr taw hon oedd y Dywysoges Anwen.

"Croeso, syr," meddai. "Dewch i fwyta gyda mi."

Gwenodd Rhun. Trwy'r nos bu'r ddau yn bwyta ac yn yfed ac erbyn y diwedd roedd y forwyn yn feddw gaib a doedd hi ddim yn gallu siarad. Rhoddodd Rhun dipyn bach o bowdwr yn ddirgel yn ei gwydr gwin a chwympodd y forwyn i gysgu yn ei chadair. Safodd Rhun ar

ei draed. "Felly," meddai. "Dyma'r wraig sydd cymaint gwell nag un Maelgwn! Ond bydd angen tystiolaeth arna i i fynd 'nôl i'r llys."

Felly torrodd fys bach y forwyn, yr un â modrwy aur ddrudfawr arno. Yna sleifiodd o'r castell ac i ffwrdd ag ef ar ei geffyl.

Gwyliodd Taliesin ef yn mynd. "Buon ni'n lwcus," meddai wrth y dywysoges. "Ond nawr mae'n well i ti ofalu am y forwyn. Rhaid i mi fynd i achub Elffin rhag trybini."

Carlamodd Rhun yn gyflym i lys Maelgwn ac adrodd ei stori wrth yr holl bobl yn y wledd. Dangosodd fys y forwyn a'r fodrwy arno. "A dyma'r dystiolaeth," meddai.

"Campus!" Roedd Maelgwn wrth ei fodd. Galwodd am Elffin o'r carchar a dywedodd wrtho. "Wel dydy dy wraig ddim cystal â hynny, ydy hi? Roedd hi mor feddw fel y gallodd Rhun dorri ei bys. Beth sydd gen ti i'w ddweud am hynny?"

Cafodd Elffin fraw, ond ni ddangosodd hynny. "Gadewch i mi weld y bys 'na," meddai.

Pan ddangoswyd y bys iddo, cymerodd un cip arno a dechrau chwerthin yn braf. "Pa fath o dric yw hwn? Yn gynta, mae'r bys hwn mor dew prin fod modrwy fy ngwraig yn ffitio arno o gwbwl. Yn ail, mae ewin y bys hwn yn hir a budur! Yn drydydd, bys rhywun sydd wedi bod yn gwneud bara yw hwn! Mae blawd o dan yr ewin. Dywedaf wrthoch fod gan fy ngwraig i fysedd tenau a glân a dydy hi byth yn gwneud bara. Felly mae'r dystiolaeth hon yn ffug."

Roedd Maelgwn yn benwan. Meddai, "Paid â phoeni. Fe wnawn ni brofi dy geffyl di nesa. Caiff rasio yn erbyn fy ngheffyl i 'fory, a chawn weld pwy fydd yn ennill."

Llusgwyd Elffin yn ôl i'r carchar.

Aeth Gwyddno i weld fod ceffyl Elffin yn iawn. Roedd ganddo geffyl gwinau, ac roedd yn gyflym iawn, ond roedd gan Maelgwn stabal yn llawn o geffylau chwim.

"O! am gael cwmni Taliesin," meddai Gwyddno yn dawel.

****

Cyrhaeddodd Taliesin gastell y Brenin Maelgwn y bore hwnnw. Roedd cymaint o bobl yno ar gyfer y wledd fel na sylwodd neb arno.

Gwyliodd 24 ceffyl y brenin yn cael eu harwain i'r cylch rasio. Yna aeth i'r stabal a dod o hyd i'r llanc a fyddai'n marchogaeth ceffyl Elffin. "Cymer y rhain," meddai.

Rhoddodd 24 ffon o bren celynen i'r llanc, a phob un yn ddu ar ôl bod yn y tân.

"Beth yw diben y rhain?" gofynnodd y llanc.

Gwenodd Taliesin. "Pan fyddi di wrth ymyl un o geffylau'r brenin rhaid i ti ei daro ag un o'r ffyn ac yna tafla'r ffon ar y llawr."

"Beth fydd yn digwydd wedyn?" gofynnodd y llanc.

"Aros a chei di weld. O, ac un peth arall." Trodd Taliesin wrth adael y stabal. "Rhywbryd yn ystod y ras, bydd dy geffyl di'n baglu a bron â chwympo. Pan fydd hynny'n digwydd tyn dy gap a'i daflu ar y llawr i ddangos y lle."

Syllodd y bachgen. "Pam?"

Dim ond gwenu wnaeth Taliesin.

Pennod 6
Blerm, Blerm

Daeth y brenin a'i westeion allan i wylio'r ras. Trotiodd 24 ceffyl y Brenin Maelgwn yn hyderus o amgylch y cae. Yna arweiniwyd un ceffyl gwinau Elffin atyn nhw.

Chwarddodd pawb.

Safodd Elffin yn ei gadwyn arian rhwng dau filwr. Roedd e'n ofnus iawn. Petai ei geffyl yn colli byddai yntau'n colli ei fywyd. Pam roedd e wedi ymffrostio fel 'na?

Yna gwelodd fachgen tenau pryd tywyll yn sefyll yn y dyrfa. Roedd gan y bachgen wyneb rhyfedd, disglair. Winciodd ar Elffin. Ai Taliesin oedd yno? Mae'n rhaid!

Yn sydyn roedd Elffin yn teimlo'n llawer gwell.

Aeth y ceffylau i sefyll yn rhes. "Ewch!" rhuodd Maelgwn.

Carlamodd y ceffylau ar hyd y cae gan adael cwmwl o lwch.

I ddechrau ceffyl Elffin oedd yr olaf. Ond roedd yn rhedeg yn gyflym, ac wrth iddo nesáu at un o geffylau Maelgwn, dyma'r marchog yn taro'r ceffyl ag un o'r ffyn celyn ac yna ei thaflu ar y llawr. Ar unwaith arafodd ceffyl y brenin, er ei fod yn carlamu mor gyflym ag erioed. Aeth ceffyl Elffin heibio iddo.

Ochneidiodd y dyrfa.

Rhuodd Maelgwn.

Gwenodd Elffin.

Digwyddodd yr un peth i bob un o 24 ceffyl y brenin. Dyma'r marchog yn taro pob ceffyl yn ei dro ag un o'r ffyn celyn a dyma pob un yn arafu. O'r diwedd roedd ceffyl Elffin ar y blaen. Ni allai neb ei ddal e nawr.

Wrth iddo garlamu yn ei flaen baglodd ceffyl Elffin wrth fynd dros dir anwastad.

Tynnodd y marchog ei gap yn syth a'i daflu ar y llawr. Yna carlamodd y ceffyl dros y llinell derfyn.

Neidiodd Elffin a Gwyddno ar eu traed gan weiddi a churo dwylo.

Dechreuodd y gwesteion eraill guro dwylo hefyd. Ro'n nhw'n falch nad oedd un o geffylau'r Brenin Maelgwn wedi ennill am unwaith. Doedd Maelgwn ddim yn hapus. Trodd at Elffin gan wgu'n ddig. "O'r gorau. Fe gurodd dy geffyl fy un i. Ond mae 'na un rhan o'r ymffrost yn weddill, dywysog, a wnei di byth ennill y tro hwn. Y 24 bardd sy gen i yw'r rhai gorau yng Nghymru. Maen nhw mor wych fel na all neb ganu'n well na nhw. Mae eu caneuon mor anodd fel nad ydw i fy hun yn eu deall nhw hanner yr amser! Felly gwna'n siŵr fod dy fardd tila yn dod yma i'r llys ac fe gynhaliwn ni'r ornest ola. A phan golli di fe dorra i dy ben a'i osod ar bolyn wrth borth y castell."

Ceisiodd Elffin wenu. "Bydd fy mardd yma heddiw," meddai.

Aeth pawb yn ôl i'r llys. Bu'n rhaid i Elffin eistedd yn ei gadwyni wrth fwrdd y brenin tra oedd Maelgwn a'i westeion yn bwyta. Ac roedd y wledd yn fwy ardderchog nag erioed.

Daeth Taliesin i mewn i'r neuadd. Ni wnaeth smic ond safodd mewn cornel, ger y drws y byddai'r beirdd yn ei ddefnyddio. Roedd yn gwybod y byddai'r Brenin Maelgwn yn eu galw ar ddiwedd y pryd i ganu cân o fawl iddo.

Cyn bo hir seiniodd y trwmped, a chyrhaeddodd y beirdd.

Wrth iddyn nhw gerdded heibio iddo, bochiodd Taliesin nes ei fod yn edrych fel rhyw bysgodyn ac yna cyffyrddodd ei wefusau yn ysgafn ag un bys a gwneud sŵn 'blerm blerm' yn dawel.

Sŵn fel baban.

Sŵn gwirion.

Dim ond un bardd a sylwodd ar Taliesin. Cerddodd y lleill yn eu blaenau.

Pan gyrhaeddon nhw'r orsedd safodd y beirdd yn rhes hir a moesymgrymu'n isel.

Gwenodd y Brenin Maelgwn fel giât. "Nawr, feirdd! Gadewch i ni ddangos i'r Tywysog Elffin pa mor wych yw eich cerddi. Gadewch i ni ddangos sut mae beirdd go iawn yn canu!"

Gwenodd y beirdd. Ro'n nhw'n edrych ymlaen at hyn. Dechreuon nhw diwnio eu telynau. Roedd ganddyn nhw gân newydd wych ac ro'n nhw i gyd yn mynd i'w chanu hi gyda'i gilydd.

Eisteddodd Maelgwn yn gysurus ar ei orsedd.

Gwgodd Elffin.

Gwrandawodd y gwesteion.

Dechreuodd y beirdd ganu.

A dyma nhw'n canu "Blerm blerm, blerm blerm, blerm blerm blerrrrm. Blerm blerm, blerm blerm ..."

"Arhoswch!" Cododd Maelgwn ar ei eistedd. "Beth sy'n digwydd?"

Edrychodd y beirdd ar ei gilydd yn llawn dychryn. Dechreuon nhw eto.

"Blerm blerm, blerm blerm ..."

"ARHOSWCH!" Roedd Maelgwn ar ei draed. Roedd ei wyneb yn goch ac roedd yn gynddeiriog. "Beth sy'n bod arnoch chi i gyd! Atebwch fi!"

Ond fedren nhw ddim. Yr unig beth ro'n nhw'n gallu ei ddweud oedd "Blerm blerm."

"Maen nhw wedi meddwi!" meddai'r brenin.

"Wel, frenin," meddai Elffin yn dawel. "Dwi ddim yn meddwl rhyw lawer o'r beirdd hyn."

Aeth Maelgwn ar hyd y rhes a cholbio pob bardd yn ei dro am ei fod mor flin. O'r diwedd roedd gan un o'r beirdd rywbeth i'w ddweud. Yr un a oedd wedi sylwi ar Taliesin oedd hwnnw.

"Dy'n ni ddim wedi meddwi," poerodd. "Ry'n ni wedi cael ein ... blerm blerm ... swyno. Gan ysbryd ar ffurf ... blerm, blerm ... bachgen." Trodd a phwyntio ei fys. "Dacw fe! Fan yna!"

A syllodd pawb ar Taliesin.

Pennod 7
Cân y Storm

"Ai ti wnaeth hyn?" gofynnodd Maelgwn. "Pwy wyt ti? Wyt ti'n ddynol neu wyt ti'n ysbryd?"

Atebodd Taliesin –

"Gŵr o wlad yr haul a'r sêr.

Pen-bardd Elffin ydwyf fi.

Bûm yn byw ar dir a môr

Ac ym mola'r wrach Ceridwen.

Bûm yn farw gelain hefyd

Ond yn holliach yn y bore.

Gwion oeddwn i un tro.

Nawr Taliesin – fi yw'r gore."

Syllodd Maelgwn. Doedd ef erioed wedi clywed cân mor wych o'r blaen. Ac eto dim ond plentyn oedd hwn! Trodd at Elffin.

"Ai dyma dy fardd di?" gofynnodd.

"Ie, Frenin," meddai Elffin. "Fe ddwedes i ei fod e'n wych. Wyt ti'n barod i ddechrau'r ornest nawr?"

Edrychodd Maelgwn o'i gwmpas. Roedd hi'n rhy hwyr iddo newid ei feddwl. Roedd y gwesteion i gyd – y tywysogion a'r arglwyddi a'r arglwyddesau a'r beirdd a'r esgobion – yn disgwyl iddo ddweud rhywbeth. Roedd rhywbeth yn dweud wrtho beth fyddai'n digwydd nesa. Ond meddai wrth ei feirdd, "Canwch!"

Fe diwnion nhw eu telynau. A pheswch. Ac yna dyma ddechrau canu.

"Blerm blerm

blerm blerm

blerrrrm ..."

"Wel," meddai Elffin. "Dwi'n credu ein bod ni wedi clywed hen ddigon."

Cododd Maelgwn ei fys yn ddiflas a distawodd y beirdd. Fe syllon nhw'n ddig ar Taliesin.

Gwenodd yntau'n annwyl arnyn nhw.

"Nawr mae'n bryd i Taliesin ganu," meddai Elffin. "Gwrandewch yn astud, bawb, achos dyma'r peth gorau fyddwch chi erioed wedi ei glywed."

Gwenodd Taliesin. Camodd i ganol y neuadd. Galwodd ei hud ynghyd. A chanodd y gân hon –

"Ceisiwch roi enw ar un

Oedd yn byw cyn pob dyn.

Nid yw'n gnawd nac yn asgwrn,

Heb law a heb ddwrn.

Heb draed a heb ben,

Nid yw'n ifanc na hen.

Mae'n dymchwel y brigau

A llorio corlannau.

Mae'n taranu dros donnau

Ac yn sathru aneddau.

Mae'n chwalu coedwigoedd,

Ac anwesu mynyddoedd.

Yn mynd i bob gwlad

Yn gul fel anadliad.

Anweledig ond byw.

Anhrefn llwyr yw!

Mae yn rhydd ac yn wallgof,

Fel dafad yn ddof.

Mor dawel â'r eira,

Yn swnllyd fel tyrfa.

Mae'n peri hwyl a braw

Fan hyn a fan draw.

Poeth fel yr haf,

Oer fel y gaeaf.

Mae'n dod i ymosod

Ar Faelgwn gynddeiriog!"

Wrth i bawb wrando arno gallen nhw glywed sŵn ofnadwy yn codi y tu allan, sŵn chwipio a rhuo. Edrychodd pawb o'u cwmpas.

"Y gwynt," gwaeddodd Elffin. "Y gwynt yw'r ateb."

Gwenodd Taliesin. Cododd ei freichiau'n uchel a daeth storm fawr ddychrynllyd o'r tywyllwch. Rhuodd dros y to nes bod pob drws yn clepian led y pen ar agor. Ysgubodd i'r neuadd a hyrddio'r cwpanau a'r platiau i'r awyr. Cafodd y beirdd eu chwythu i'r naill ochor. Dechreuodd clogynnau'r gwragedd chwifio uwch eu pennau. Taflwyd Maelgwn yn ôl i'w gadair.

Roedd ofn dychrynllyd arnyn nhw i gyd y byddai'r castell yn dymchwel am eu pennau.

"Paid!" gwaeddodd Maelgwn yn groch. "Paid yr eiliad hon!"

Pennod 8
Gwobr Elffin

"Os gweli di'n dda!" ymbiliodd Maelgwn. "Gwna i'r gwynt yna ostegu."

Ysgydwodd Taliesin ei ben. "Dim nes bydd y tywysog yn rhydd."

Siglodd yr adeilad i gyd. Cafodd pob ffenest ei chwythu ar agor. Gwaeddodd Maelgwn, "Gwrandewch arno!"

Gydag ymdrech fawr symudodd dau warchodwr draw at Elffin a datgloi'r gadwyn arian. Cwympodd honno wrth ei draed a chamodd y tywysog yn rhydd.

Cyn gynted ag y gwelodd Taliesin fod Elffin yn rhydd newidiodd ei gân a gostegodd y gwynt. Safodd pawb ar eu traed, twtio eu dillad a syllu o'u cwmpas. Roedd tipyn o olwg ar y neuadd ardderchog erbyn hyn.

Canodd Taliesin fel hyn.

"O'r crochan y des,

Llawn swyn a hudoliaeth.

Tawelwch, feirdd Maelgwn,

Clywch fy marddoniaeth.

Yr ydych fel brain

Yn crawcian yn flin.

Does neb yn eich plith

All guro Taliesin."

"Wel mae hynny'n wir," meddai Maelgwn. Trodd at Elffin. "Maddau i mi, Dywysog Elffin. Rwyt wedi profi dy fod yn dweud y gwir wrth ymffrostio. Yn gynta', dy wraig."

"A dyma fi." Gwthiodd Anwen drwy'r dyrfa. Gwenodd ar Elffin a chodi ei llaw er mwyn i bawb weld bod pob bys ganddi o hyd. "Fues i erioed yn feddw, fel y gallwch weld, a dwi wedi dod i 'nôl fy modrwy."

Rhoddodd Maelgwn y fodrwy iddi.

Yna meddai, "Ac wedyn fe faeddodd dy geffyl di bob un o'r 24 ceffyl sydd gen i. A'r bardd? Wel, yn wir, fe yw'r gorau yn y byd. Rwyt ti'n ddiogel, Dywysog Elffin. Cei di fynd adre nawr. Ond chei di ddim gwahoddiad i ddod yma eto."

Curodd pawb eu dwylo a chymeradwyo.

Llefarodd Taliesin eiriau hud ac yn sydyn gallai'r beirdd siarad a chanu unwaith eto. Roedd pob un yn cytuno taw fe oedd y bardd gorau ohonyn nhw i gyd. Ond do'n nhw ddim yn rhy hapus ychwaith. Roedd hi'n bryd i Elffin ac Anwen, Taliesin a Gwyddno a'u holl ddynion ddechrau ar eu taith tuag adref. Wrth iddyn nhw farchogaeth ger y môr lle bu'r ras, gwelson nhw gap y marchog ar y llawr.

Edrychodd Elffin ar ei farchog. "Beth mae dy gap yn ei wneud yma?"

Meddai'r llanc, "Taliesin ddywedodd wrtha i am ei daflu pan fyddai'r ceffyl yn baglu."

Gwenodd Taliesin. "Rwyt ti'n dweud y gwir. Dwed wrth dy ddynion am gloddio fan yma, Dywysog Elffin, i weld beth sydd yno."

Felly daeth dau o'r dynion oddi ar eu ceffylau a chloddio lle roedd y tir yn anwastad. Ac ar ôl cloddio a chloddio fe gawson nhw hyd i grochan mawr efydd yn llawn darnau aur.

Meddai Anwen, "Edrychwch ar hwnna!"

Meddai Gwyddno, "Dyna beth yw lwc!"

Dim ond syllu wnaeth Elffin.

Meddai Taliesin, "I ti mae hwn, Dywysog. Dyma dy wobr am fy achub o'r gored pan oeddwn yn y cwdyn lledr, a gofalu amdanaf ar hyd y blynyddoedd. Fe ddwedes i y byddwn i'n fwy defnyddiol na physgodyn."

Felly aethon nhw â'r aur gyda nhw a daeth pwll o ddŵr i lenwi'r twll lle'r oedd y crochan. Pwll y Crochan yw enw'r llyn hyd y dydd heddiw. O'r amser hwnnw roedd pawb dros Gymru i gyd yn gwybod am Taliesin, y bardd a'r dewin gorau yn y byd a'r un oedd yn gallu newid ei siâp yn well na phawb arall.

Roedd Elffin yn dal i ymffrostio, ond nid oedd neb yn meiddio dadlau ag ef o hynny ymlaen.

Hefyd yn y gyfres ...

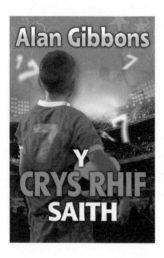

Y Crys Rhif Saith
ALAN GIBBONS

Pêl-droed ydy holl fywyd Carwyn! Mae cael ymuno ag Academi Man U yn gwireddu breuddwyd iddo, ond mae ganddo lawer i'w ddysgu yno. Yn ffodus, mae help ar gael – gan ei arwyr pêl-droed. Ac mae pob un yn gwisgo'r Crys Rhif 7.

Ond a fydd hynny'n ddigon iddo lwyddo ar y lefel uchaf?

Llofrudd y Camera
ALAN GIBBONS

Roedd eu llygaid yn rhythu. Roedd eu cegau ar agor. Roedden nhw'n sgrechian.

Pan mae Aled yn gweld y dyn â'r camera am y tro cyntaf, mae'n gwybod bod rhywbeth mawr o'i le. Ond does neb yn fodlon gwrando arno, dim hyd yn oed pan fydd ei fam a'i dad yn diflannu.

All Aled ddod o hyd i'r dyn unwaith eto – ac os fydd e'n llwyddo, all e gael ei rieni 'nôl?

Melltith Teulu Lambton
MALACHY DOYLE

Mae bwystfil ofnadwy'n rhydd! Hen fwydyn drewllyd a dieflig. Lambton Bach sydd ar fai am bob dim. Fe oedd yn gyfrifol am ei ollwng yn rhydd.

A fydd Lambton Bach yn llwyddo i ladd y bwystfil a gwneud popeth yn iawn ... neu fydd e'n marw wrth geisio gwneud hynny?

Myrddin, y Bachgen Arbennig
TONY BRADMAN

Roedd Myrddin yn gwybod yn iawn ei fod yn wahanol i'r bechgyn eraill. Ond doedd ganddo ddim syniad pa mor wahanol. Roedd grymoedd gan Myrddin. Hud a lledrith. Roedd e'n gallu llunio'r dyfodol. Byddai'r byd yn cofio'i enw.

Ond yn gyntaf, rhaid iddo wneud yn siŵr nad yw'r Brenin yn ei ladd ...

www.barringtonstoke.co.uk